J 861 BLA
Blanco, Alberto, 1951-
Tambiâen los insectos son
 perfectos

S0-AVU-324

AVON PUBLIC LIBRARY
BOX 977/200 BENCHMARK RD
AVON, CO 81620

EAGLE VALLEY LIBRARY DISTRICT

1  06  0002629280

# También
# los Insectos
# son Perfectos

*reloj de versos*

*D.R.* © *CIDCLI, S.C.*

 Av. México 145-601, Col. del Carmen
Coyoacán, C.P. 04100, México, D.F.

Primera edición, 1993.
Segunda edición, 1997.
ISBN 968-494-054-8

Diseño gráfico : Rogelio Rangel
Reproducción fotográfica : Rafael Miranda

Impreso en México / *Printed in Mexico*

Alberto Blanco

# También los Insectos son Perfectos
## Ilustraciones de Diana Radavičiūté

## EL GRILLO

La noche tiene su brillo,
su música y su silencio...
pues cada estrella es un grillo
entre la hierba del cielo.

## LA LUCIERNAGA

En el campo el corazón
y la luna son hermanos;
y las luciérnagas son
estrellitas en las manos.

## LA HORMIGA

En esta tierra el viajero
no ha de sentarse un minuto
porque un volcán diminuto
¡puede ser un hormiguero!

## LA POLILLA

Limpias la mesa y las sillas
las camas y los sillones;
mas si limpias los cajones
¿qué comerán las polillas?

UNIVERSIDAD PEDAGOGICA
WOW.OO,MUW

## EL CHAPULIN

El dueño del campo al fin
no es el hombre ni el arado,
ni el dinero ni el estado,
sino el pobre chapulín.

AVON PUBLIC LIBRARY
BOX 977/200 BENCHMARK RD
AVON, CO 81620

## LA ABEJA

Cuando te vas a acostar
una abeja puedes ser:
tu cama es como un panal
y tus sueños son la miel.

## LA CATARINA

La catarina de lejos
me recuerda ciertos rostros
con los lunares muy negros
y con los labios muy rojos.

## LA CIGARRA

Guardan silencio los sapos,
guardan silencio las ranas,
guarda silencio el verano
cuando canta la cigarra.

## LA LIBELULA

Si a la libélula quitas
las alas, queda una rama;
y una rama con alitas
¡ya libélula se llama!

## EL ESCARABAJO

Cuesta arriba y cuesta abajo
trabajar cuesta trabajo...
boca arriba y bocabajo
trabaja el escarabajo.

*También los insectos son perfectos* se terminó de imprimir en
el mes de junio de 1997, en los talleres de Editorial Offset, S.A. de C.V.,
Durazno No. 1, 16010 México, D.F.
El tiraje fue de 3,000 ejemplares y el cuidado de la edición estuvo
a cargo de Rocío Miranda.